Right hand

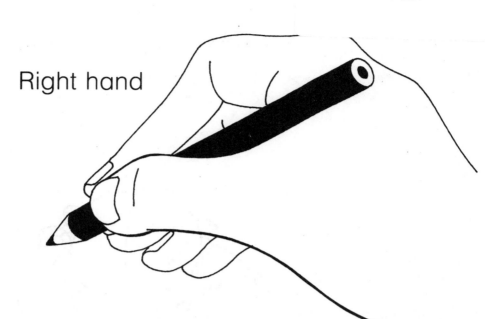

Left hand

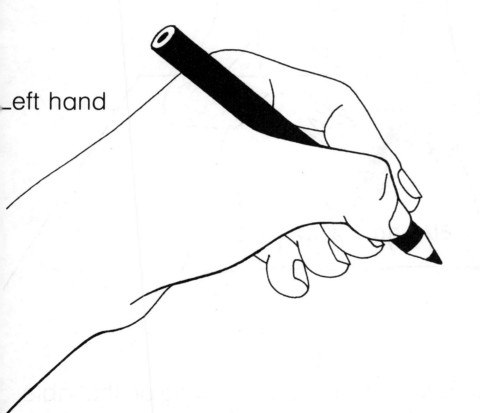

Grip the pencil lightly between the first finger and thumb, the second finger being used as a 'cushion' underneath the pencil. Rest hand and arm on a table. Let the pencil rest on the hand between the base of the first finger and thumb.

3

Sit facing table with elbows and arms resting on the table.
Use 'free' hand to hold paper steady. Sit close to the table
with knees underneath. The pencil end should point over
the shoulder on the same side.
Keep all fingers, apart from the first finger, underneath the
pencil.

colour

join up and colour

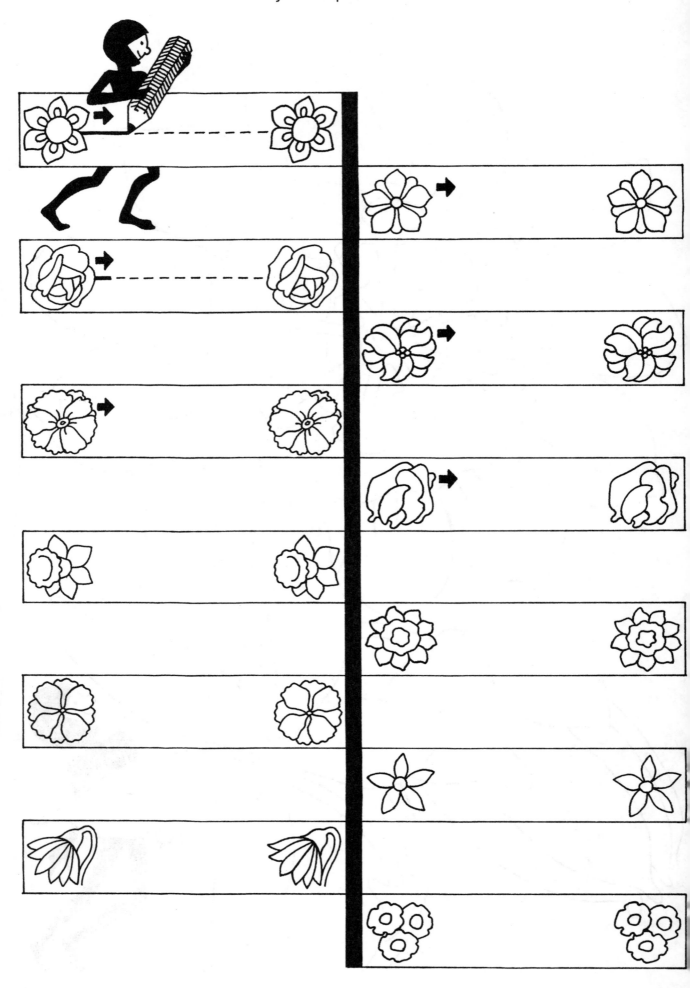

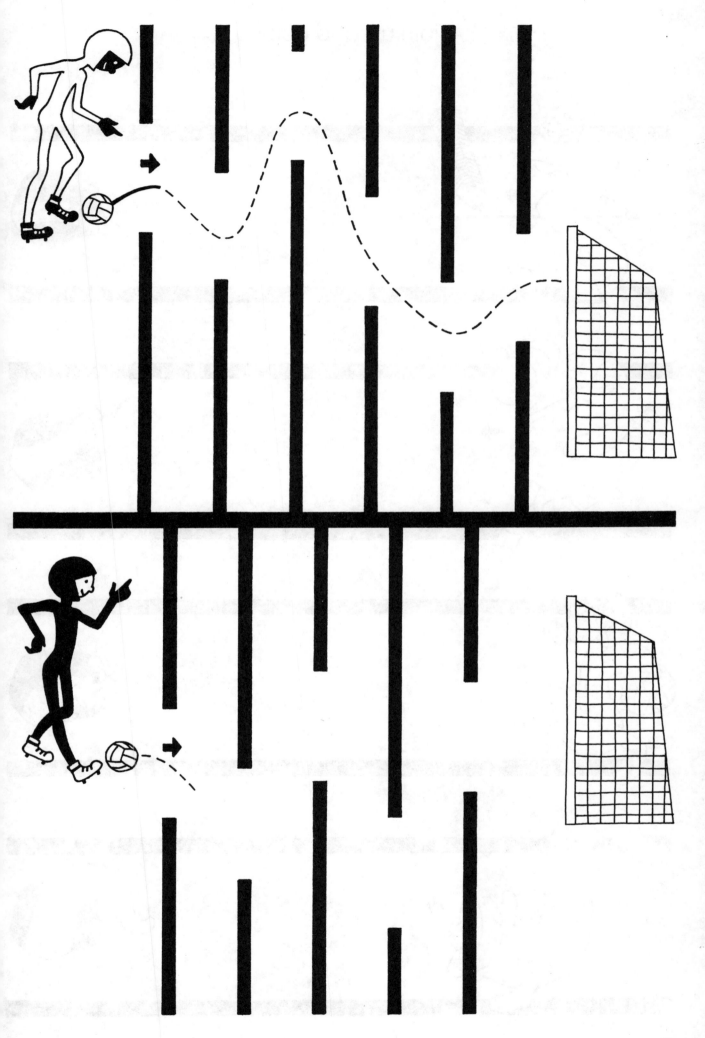

join up and colour

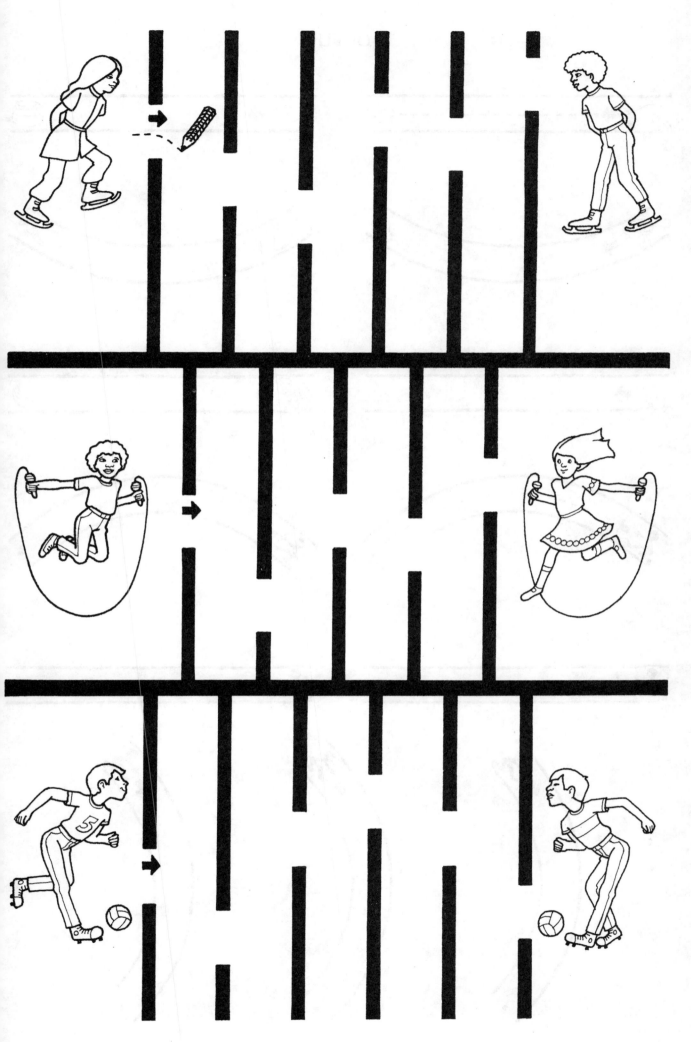

9

join up

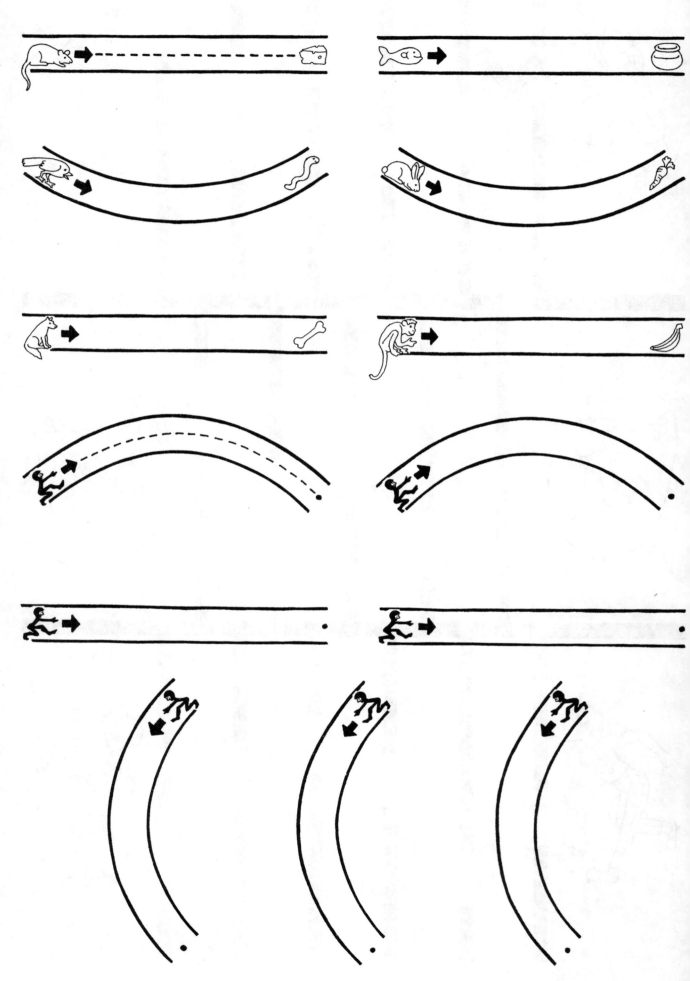

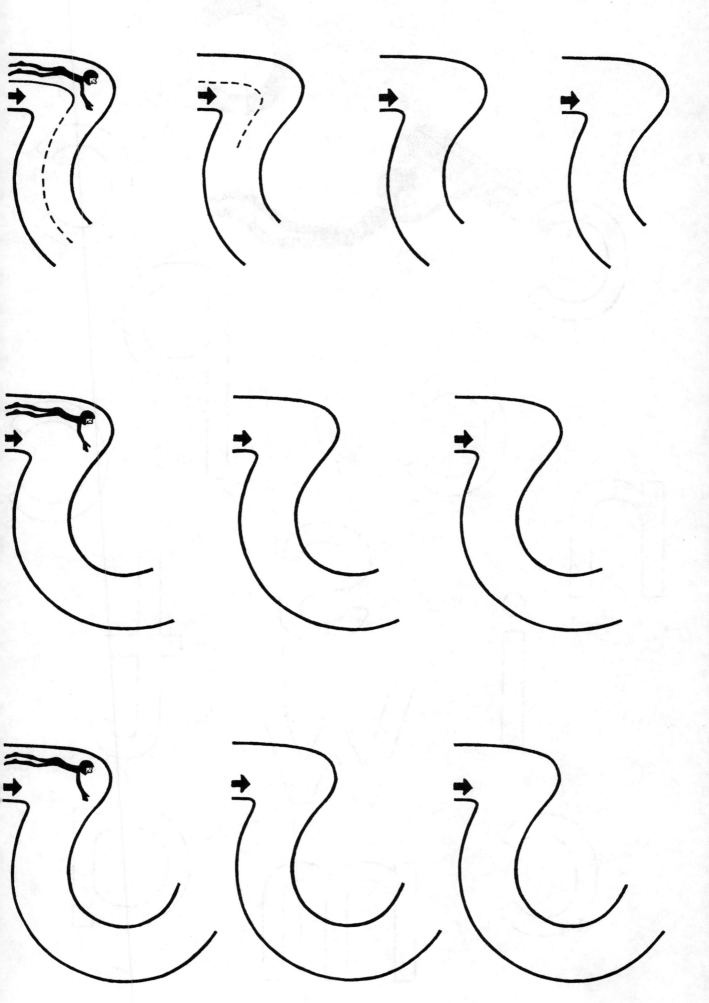

colour

c t s w o c g
s w o n
c m c b c r
m b

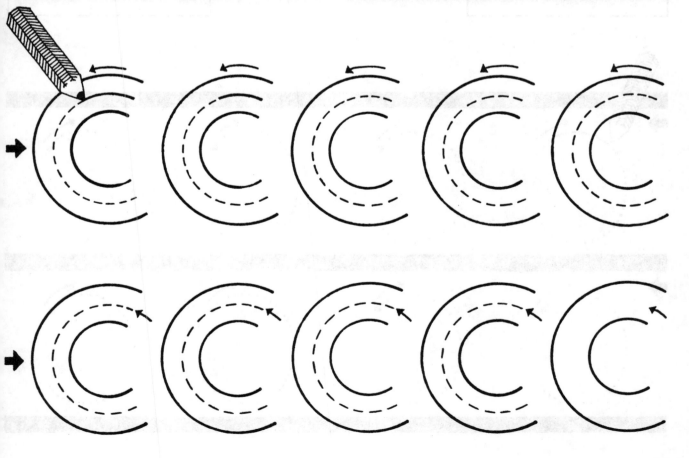

cup

cat

cake

carrot

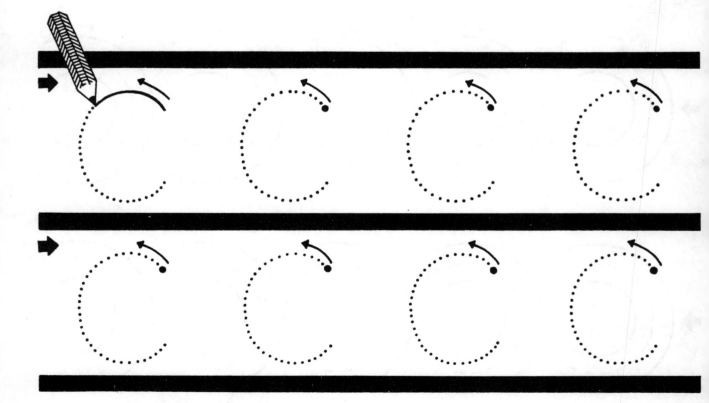

ostrich

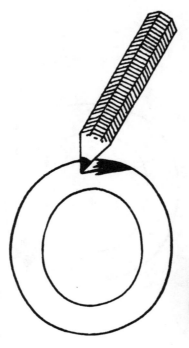

octopus

orange

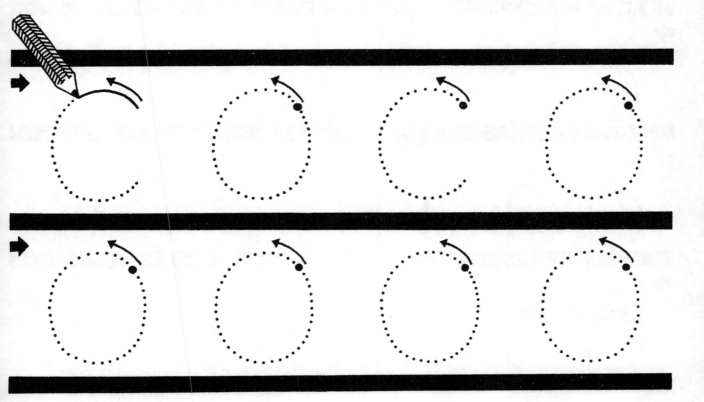

arrow

apple

ant

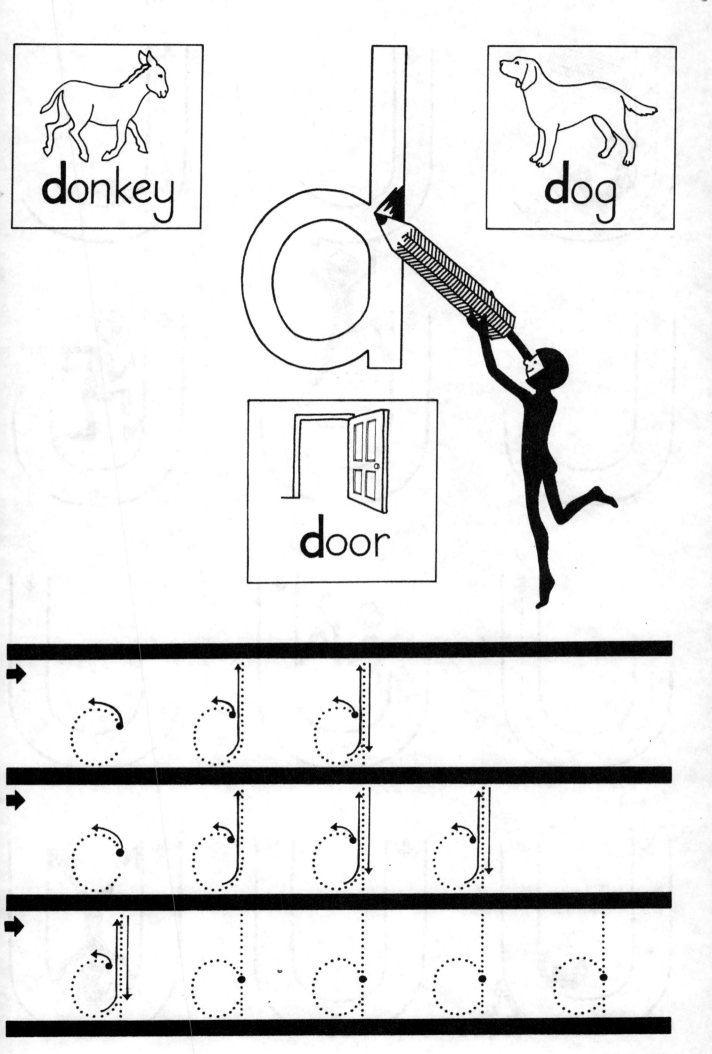

donkey

dog

door

17

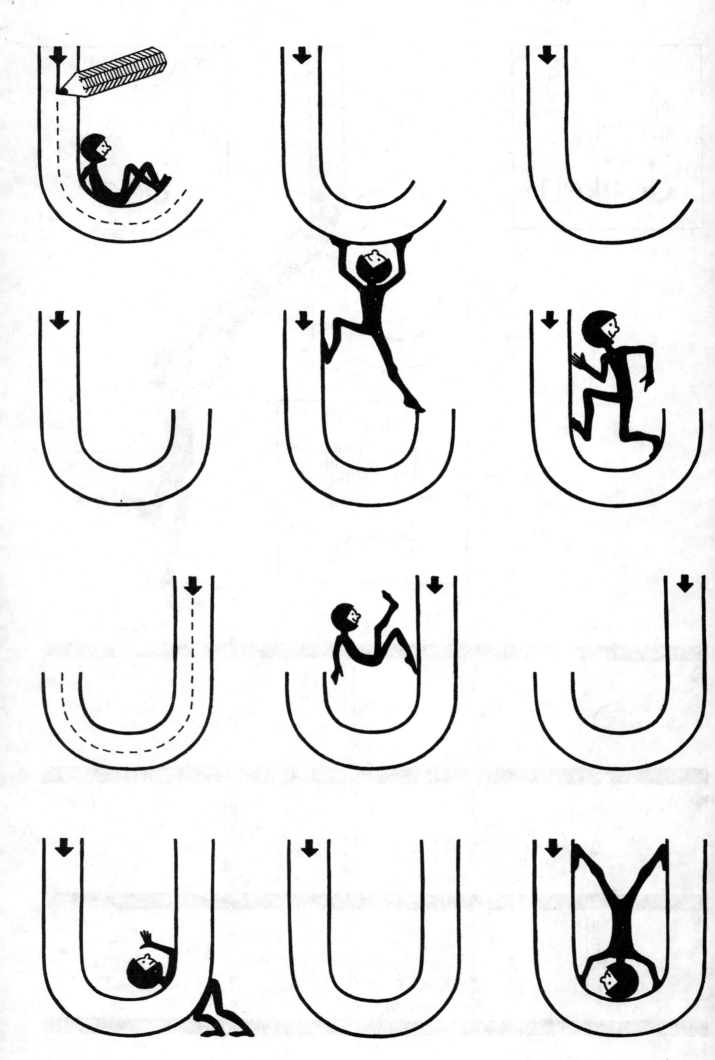

18

goat

girl

grapes

19

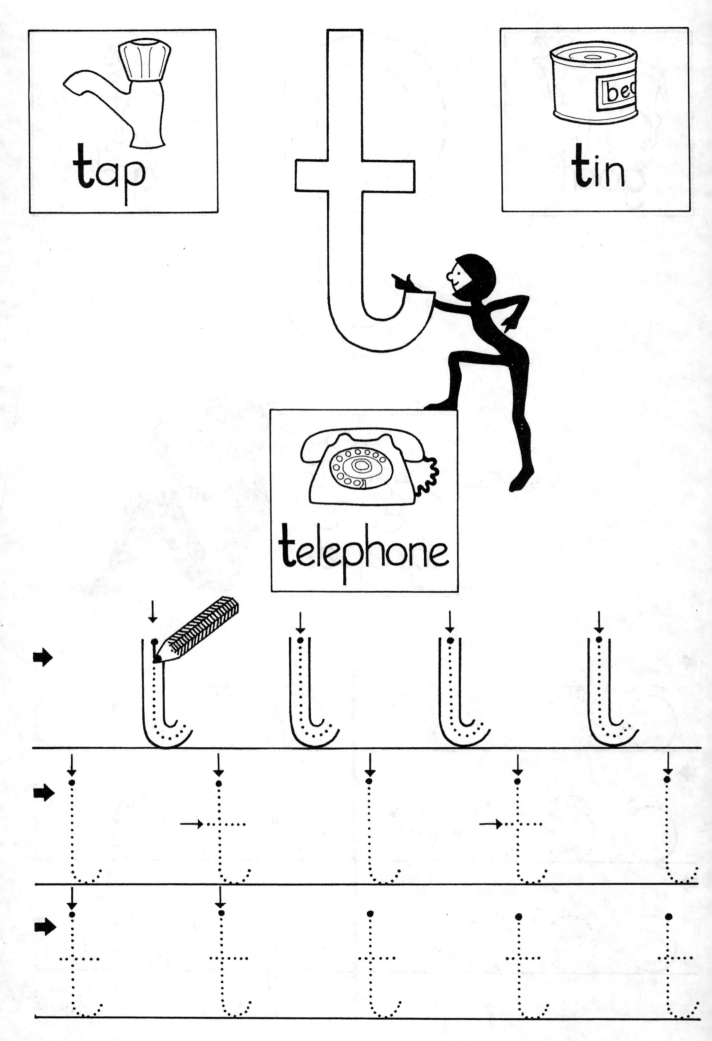

tap

tin

telephone

20

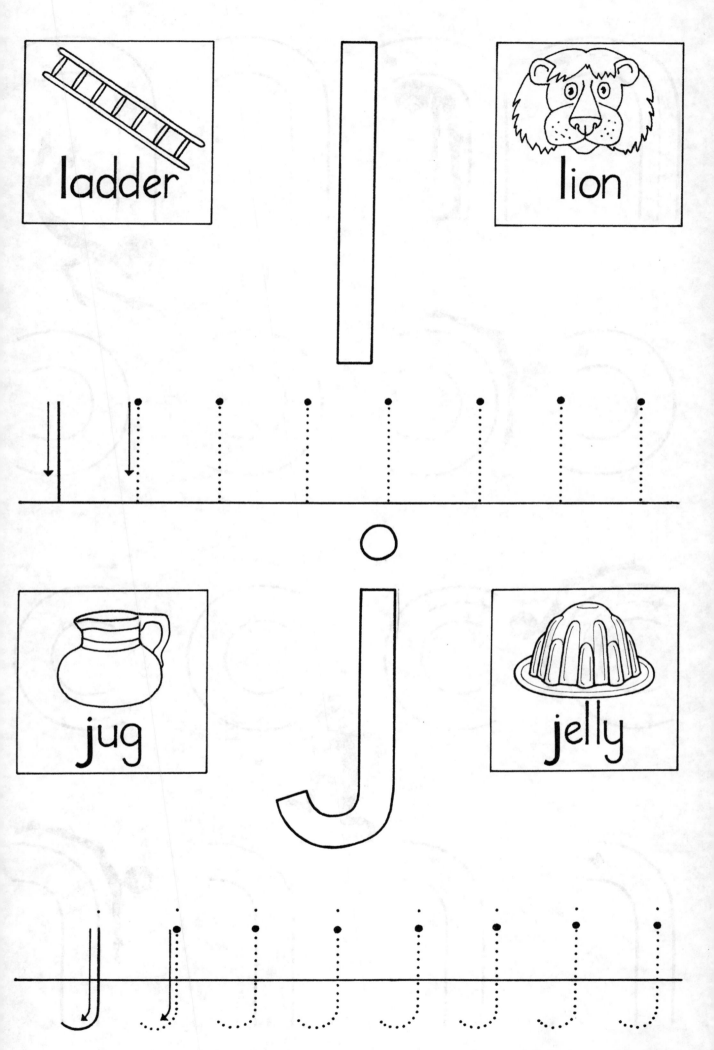

ladder

lion

jug

jelly

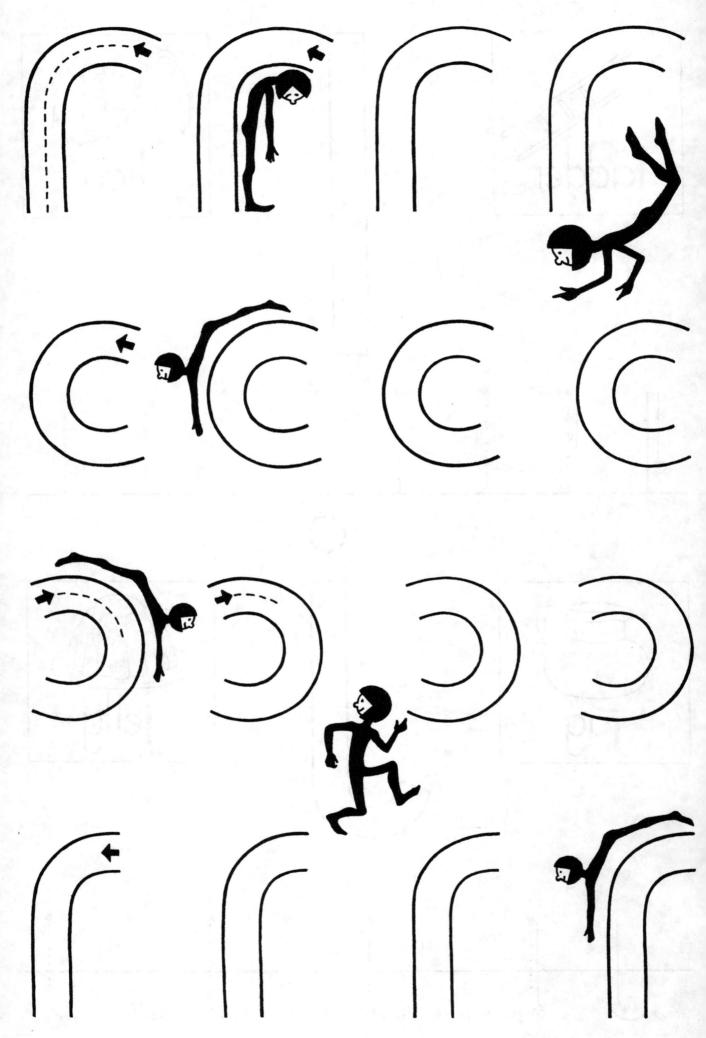

fork

f

fish

4
four

foot

flag

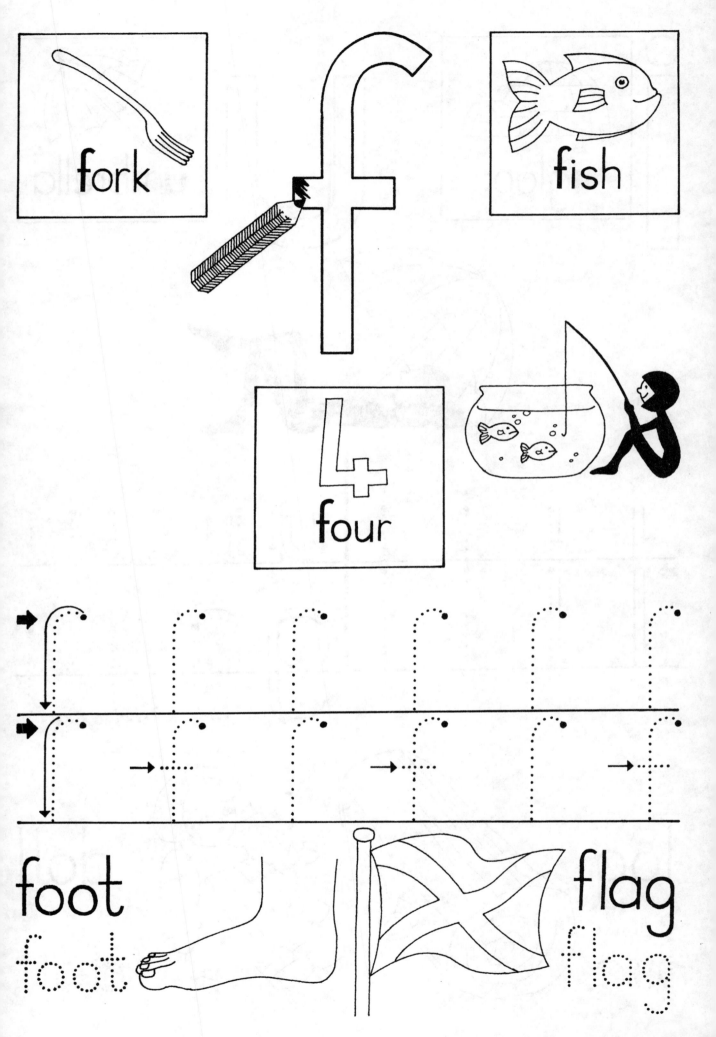

23

i

igloo

u

umbrella

i i i i u u u u u

i i i i g g g g

log

doll

log

doll

24

yoyo

y

yawn

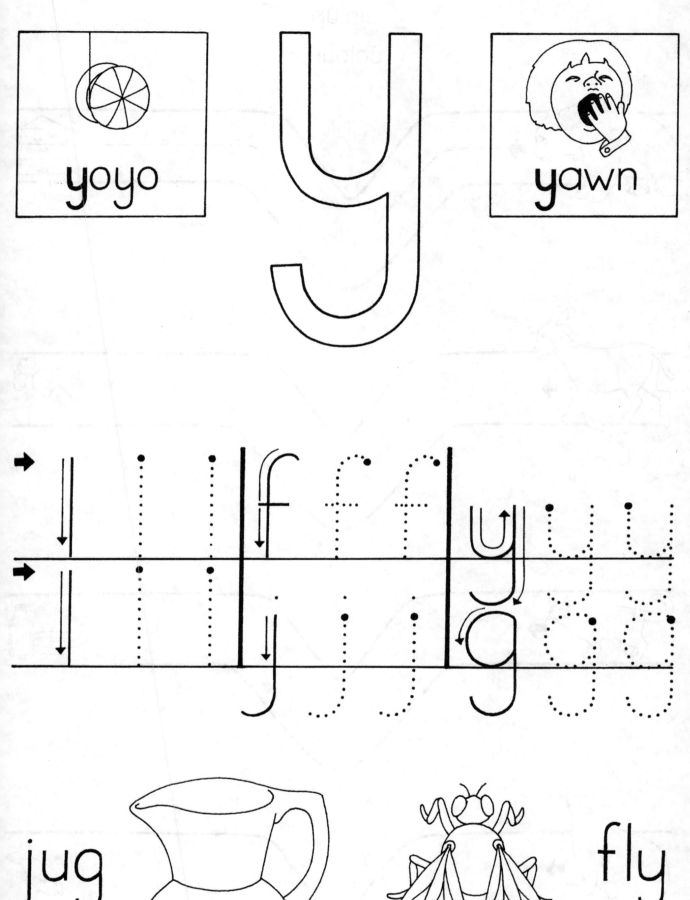

jug

jug

fly

fly

join up
colour

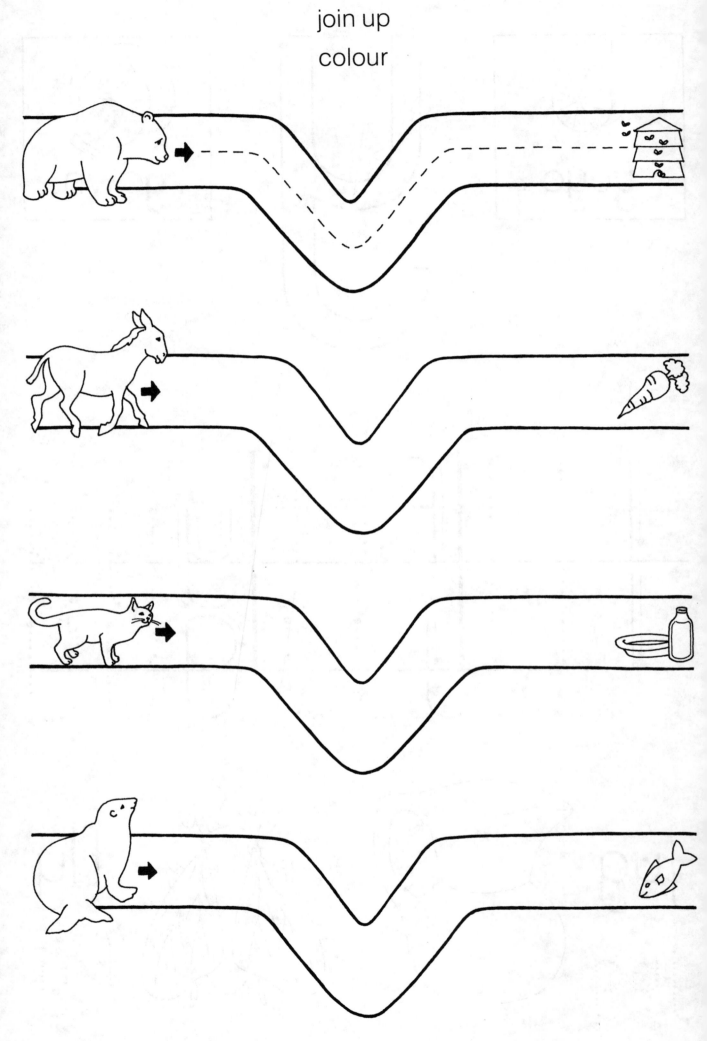

join up

colour

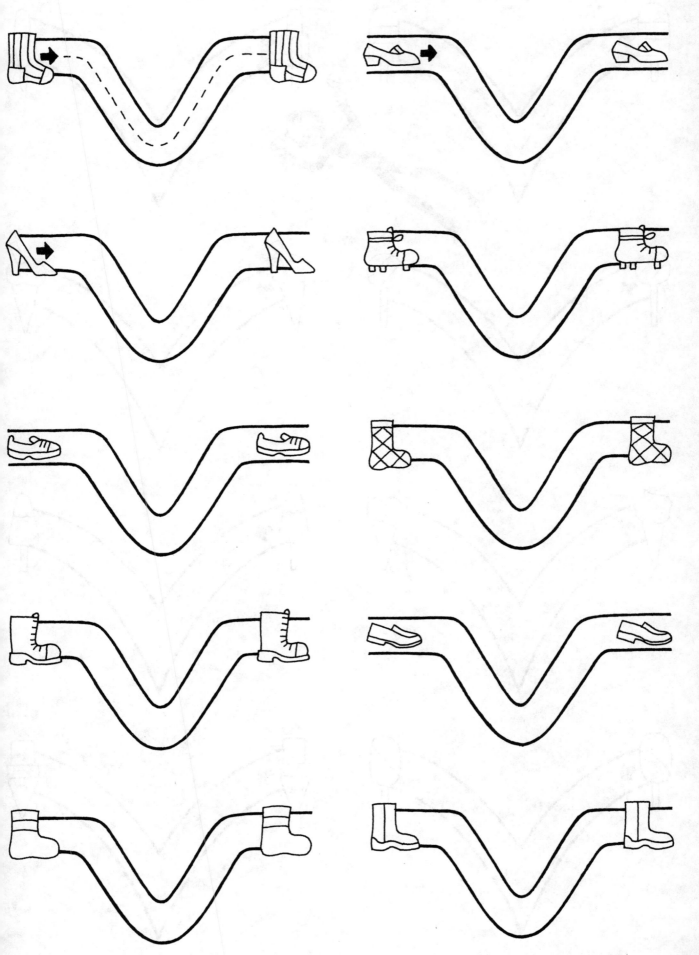

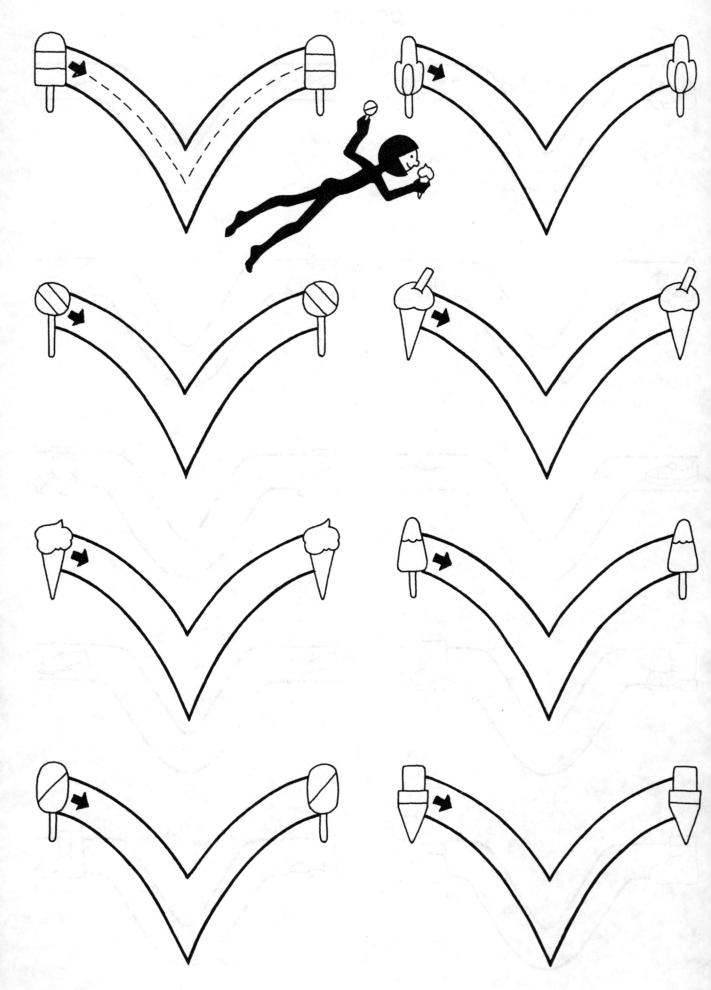

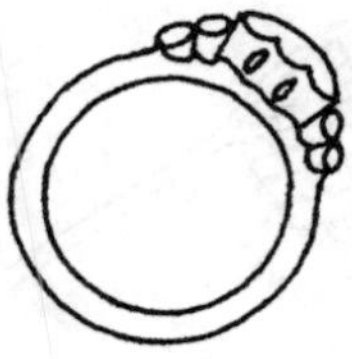

ring

r

rabbit

rope

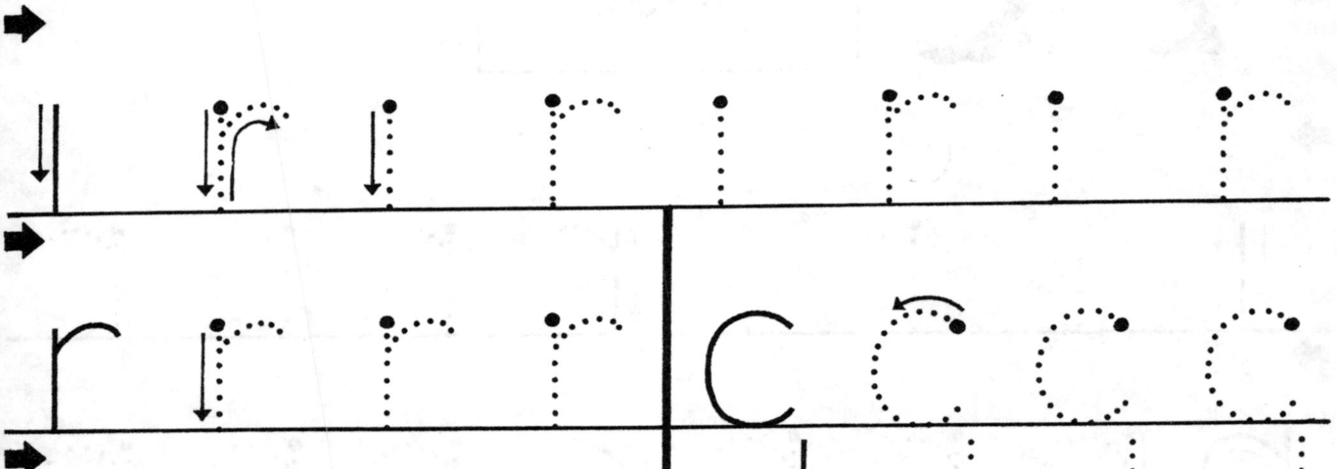

r i r i r i r i r i r i r

r r r r c c c c

a a a a d d d d

road

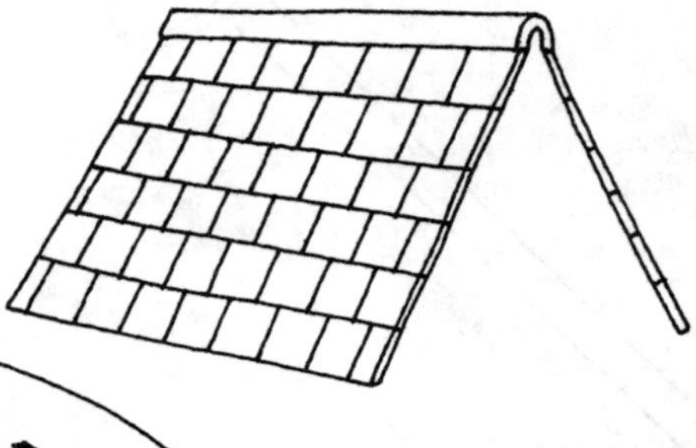

roof
road roof

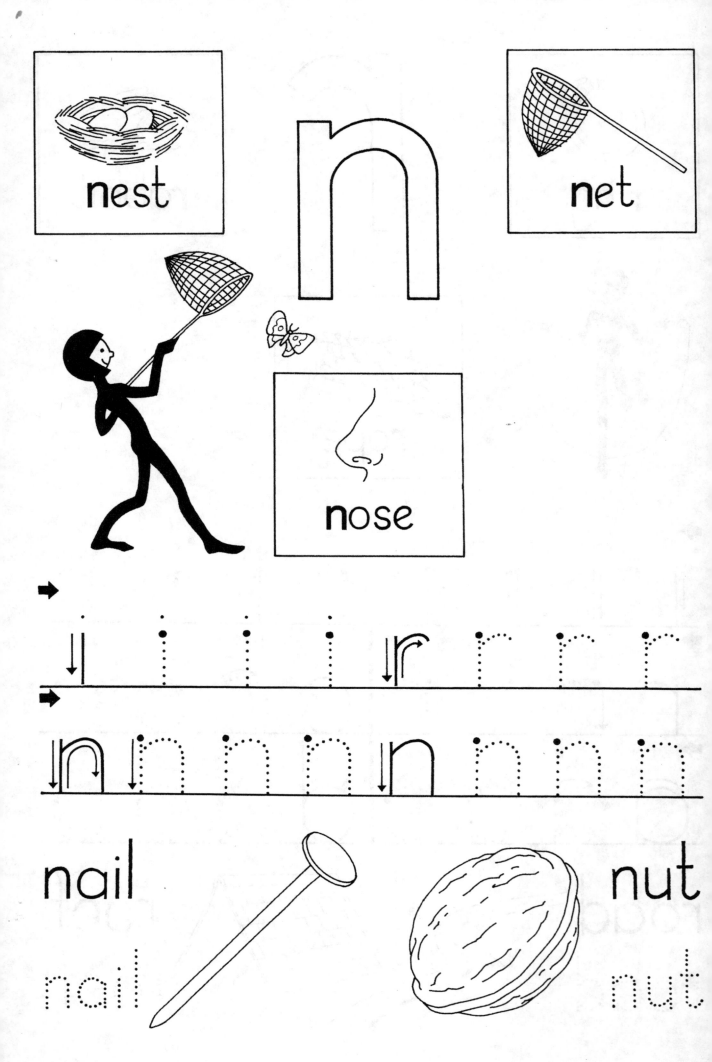

nest

n

net

nose

i i i i i r r r r

n n n n n n n n

nail
nail

nut
nut

mouse

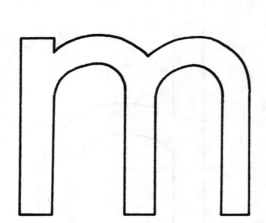

monkey

moon

l l l l | r r r r

n n n m m m m

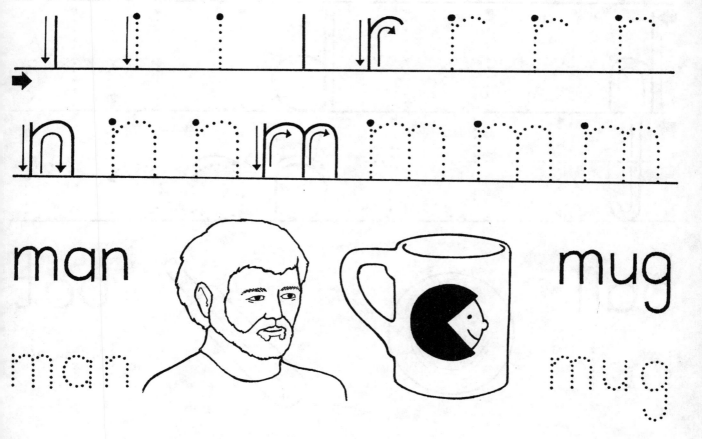
man   mug

man   mug

31

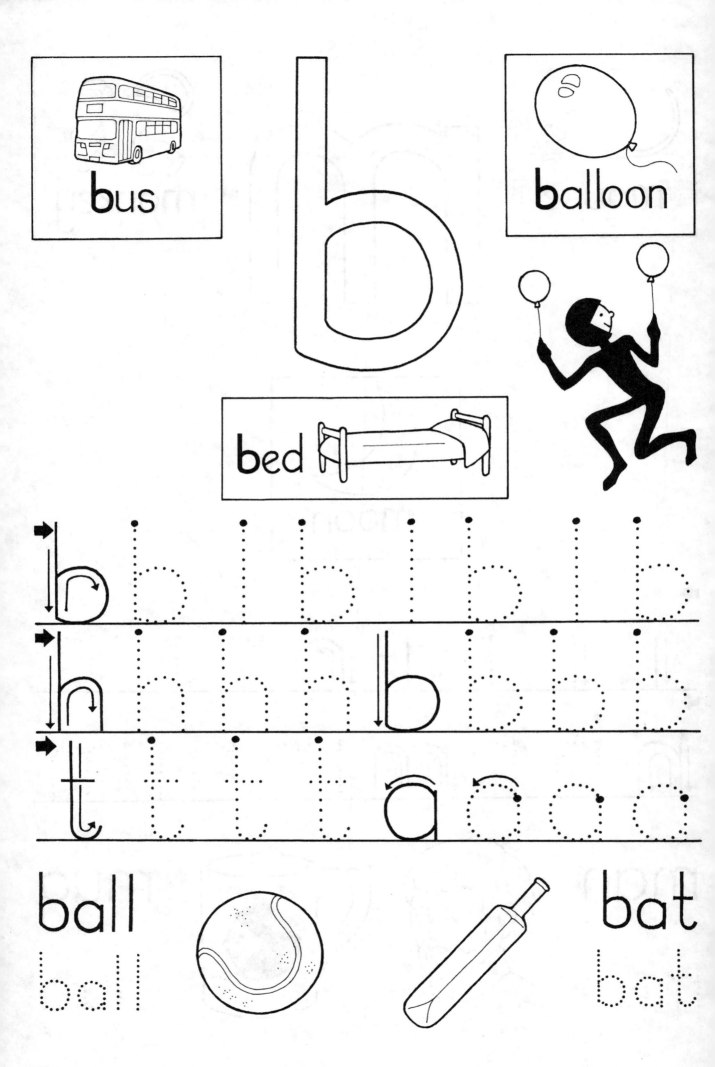

bus

b

balloon

bed

b b b b b b b

h h h h b b b b

t t t t a a a a

ball
ball

bat
bat

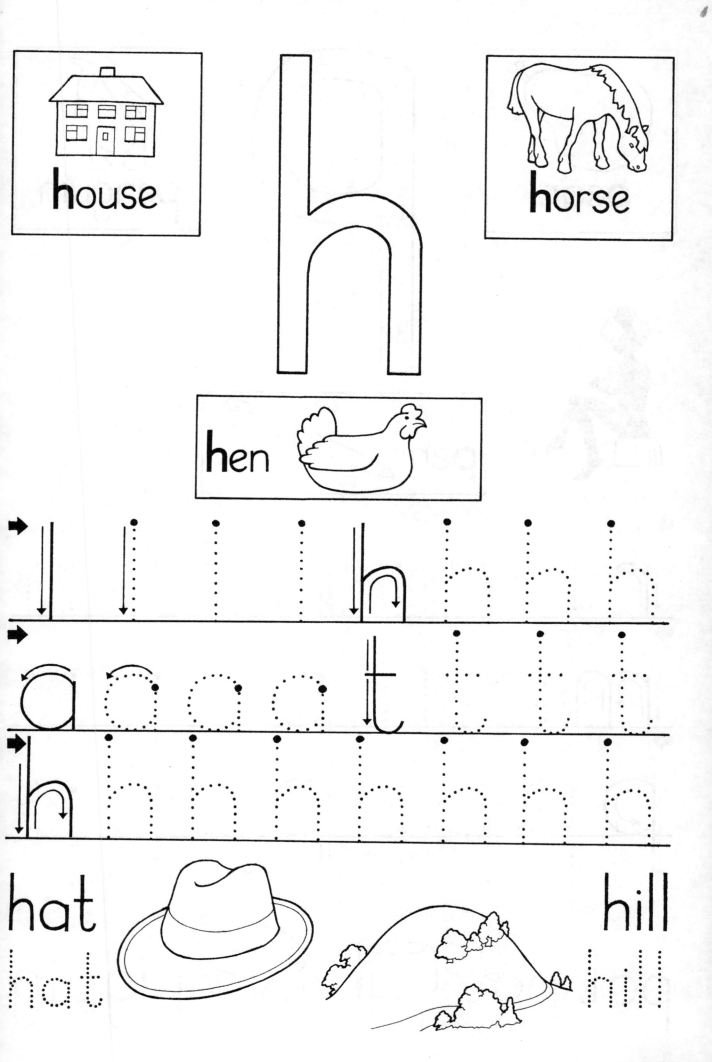

house

h

horse

hen

l l l l l h h h h h

a a a a t t t t

h h h h h h h h h

hat

hat

hill

hill

pear

p

penguin

pen

r r r r r n n n n

m m m m p p p p

p p p p p p p p

pot pot

pigpig

34

cat

c cc oo aaa
t tt aaa ccc

cat   cot

envelope

elephant

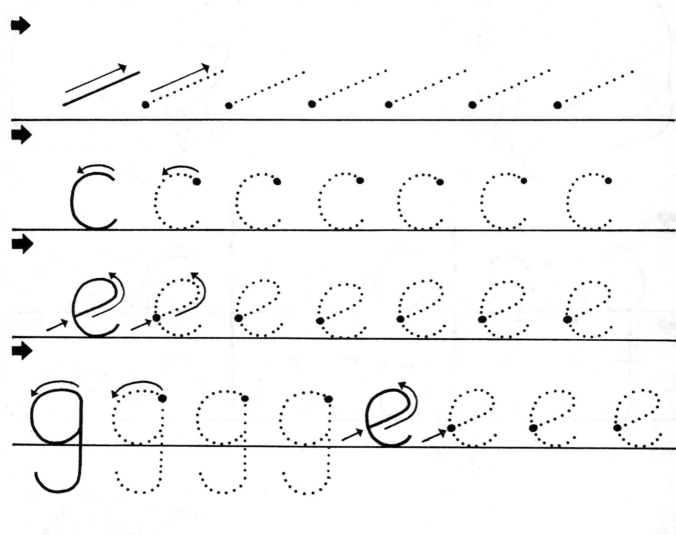

egg

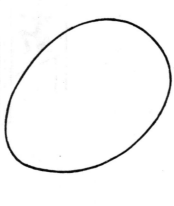
egg

eye

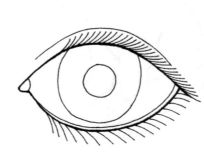
eye

V

violin

V

W

window

W

van
van

web
web

sock

seven

snake

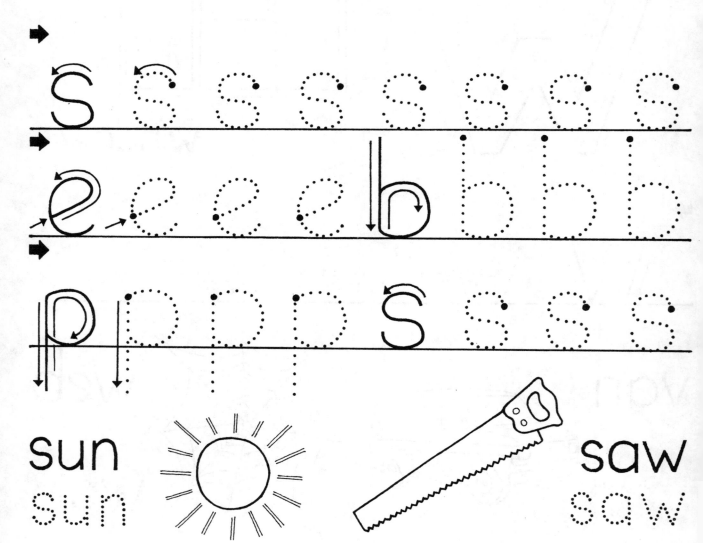

sun

saw

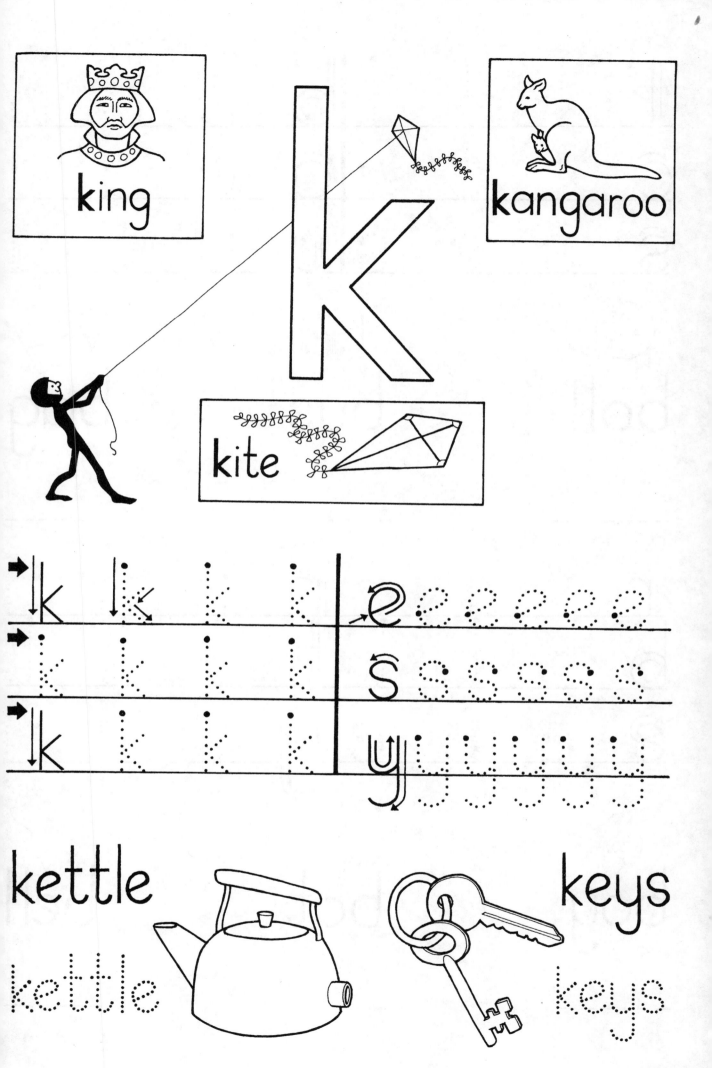

king

kangaroo

kite

k k k k   e e e e e e

k k k k   s s s s s

k k k k   u u u u u u

kettle

keys

kettle

keys

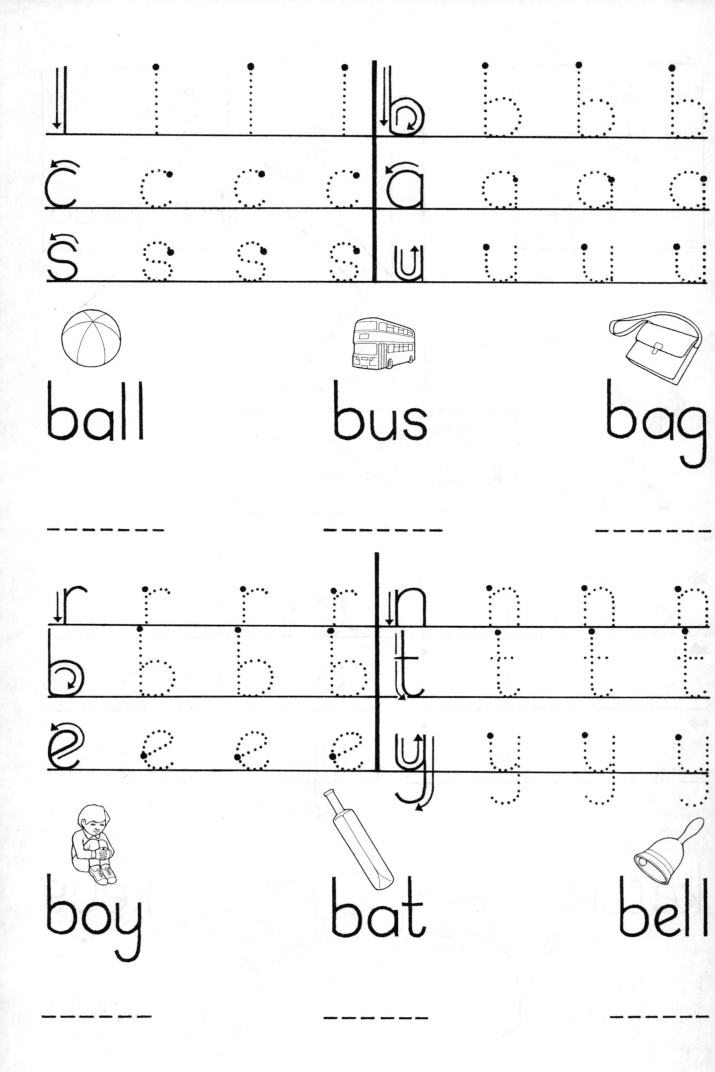

l l l l l b b b b

č c c c a a a a

š s s s u u u u

ball   bus   bag

- - - - -   - - - - -   - - - - -

r r r r n p p p

b b b b t t t t

e e e e y y y y

boy   bat   bell

- - - - - -   - - - - - -   - - - - - -

c c c c o o o o
a a a a t t t t
r r r r g g g g

car   cat   coat

n n n n h h h h
e e e e e e e e
i i i i p p p p

hen   hat   pig

t t t t k k k k

u u u u a d d d d

a a a a y y y y

duck skate cake

o o o o s s s s

f f f f r r r r

p p p p g g g g

flag four cups

42

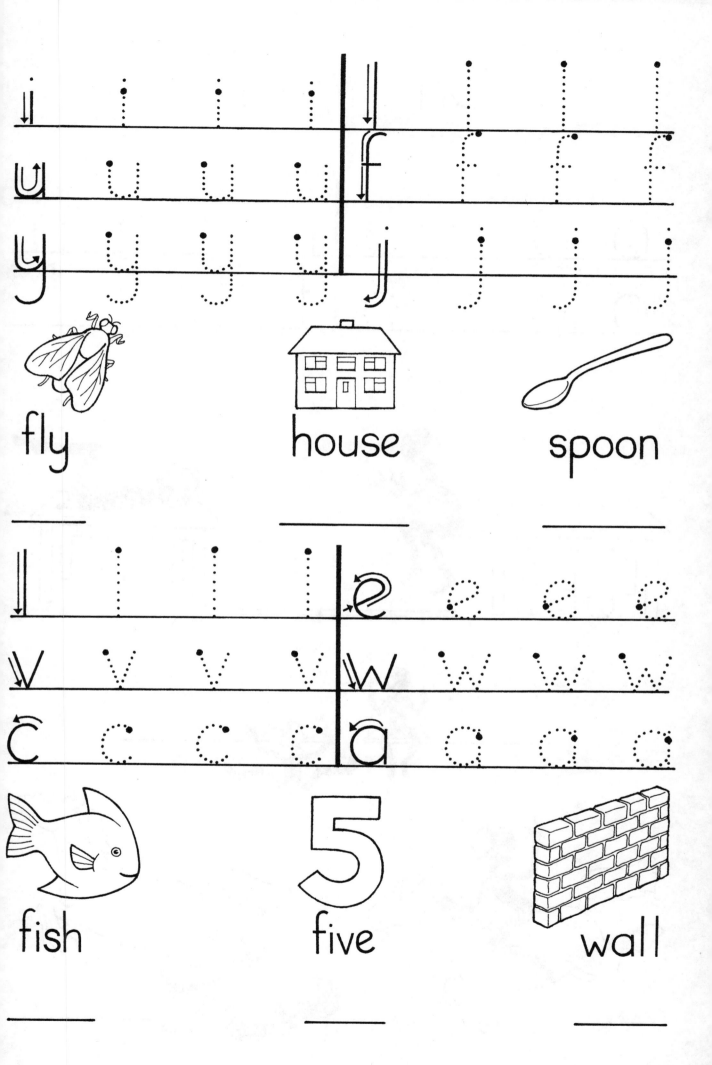

fly   house   spoon

fish   five   wall

on   off

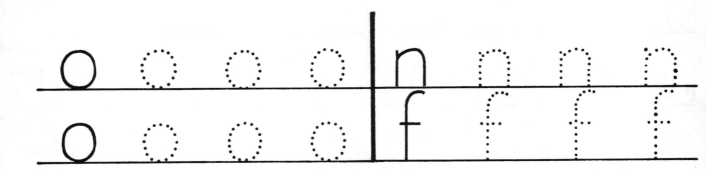

↑ up   down ↓

up

down

45

boot   moon   hoop   roof

b _____

m _____

h _____

r _____

tree   feet   bee   sweet

f _____

s _____

b _____

t _____

boy   legs   clock   house

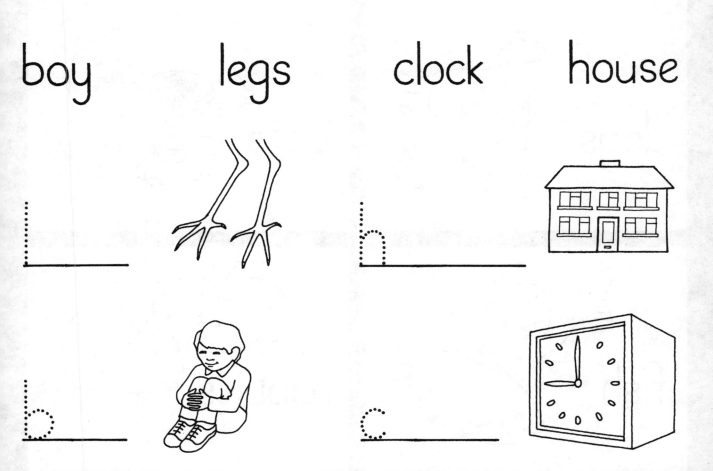

l_____   h_____

b_____   c_____

seven   apples   balloons   flowers

f_____   b_____

a_____   s_____

dogs

cats

fish

rabbits

penguins

monkeys

horses

pigs

ISBN 0-19-838053-4